© 2001 Tekst: Barbro Lindgren
© 2001 Illustraties: Olof Landström
De oorspronkelijke uitgave van dit boek verscheen onder
de titel *Jamen Benny* bij Rabén & Sjögren, Zweden
© 2002 voor het Nederlandse taalgebied:
Uitgeverij J.H. Gottmer / H.J.W. Becht BV, Postbus 317, 2000 AH Haarlem (e-mail: post@gottmer.nl)
Uitgeverij J.H. Gottmer / H.J.W. Becht BV is onderdeel van de Gottmer Uitgevers Groep BV
Vertaling: J.H. Gever
ISBN 90 257 3574 6
NUR 273

Druk: 10 9 8 7 6 5 4 3 2 1
Jaar: 2010 2009 2008 2007 2006 2005 2004 2003 2002

Barbro Lindgren · Olof Landström

Binkie en de speen

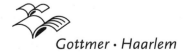

Gottmer · Haarlem

Binkie heeft een broertje.
Hij wilde een broertje en nu heeft hij een broertje.

Toen Binkie 's ochtends wakker werd, lag zijn broertje naast hem.

'Kijk, Binkie, je hebt een broertje,' zei Binkie's moeder.
'Ja, dat dacht ik al,' zei Binkie.

Binkie's broertje schreeuwt maar en schreeuwt maar.
Zijn moeder haalt een speen.

'Ik wil ook een speen,' zegt Binkie.
Maar hij krijgt er geen.
'Jij bent al te groot voor een speen,' zegt Binkie's moeder.
'Nee, hoor,' zegt Binkie.

De hele dag sabbelt Binkie's broertje op zijn speen.
Binkie mag 'm niet eens even proberen. Hij heeft nu al genoeg van
zijn kleine broertje. Hij had veel liever een speen gehad.

'Ik ga even naar buiten met mijn broertje,' zegt
hij tegen zijn moeder.
Maar zijn moeder hoort hem niet.

Binkie legt zijn kleine broertje achter de keukendeur.
Dan pakt hij de speen af. Als troost krijgt zijn broertje Biggetje.

Binkie zet het op een lopen.

Hij rent de straat uit. Binkie is blij. De speen is lekker.

Binkie rent langs de crèche.
'Jij bent veel te groot voor een speen!' roepen de kinderen.
'Nee, hoor!' roept Binkie.

Even later komt Binkie drie stoere biggen op voetbalschoenen tegen.
'Wie is die flapdrol met die speen?' vragen de stoere biggen.

'Ik heet Binkie,' zegt Binkie.
'Kom, we slaan 'm op z'n snufferd,' zeggen de stoere biggen.

Binkie is bang. Hij sprint weg.

Maar de stoere biggen rennen hem achterna.
Binkie rent op zijn eigen voeten, maar de stoere
biggen hebben snelle voetbalschoenen!

Ze halen hem gemakkelijk in. De allerstoerste geeft
Binkie een stomp. De speen vliegt uit zijn mond.

Dan komt meneer De Hond voorbij.
'Ze hebben mijn speentje afgepakt,' huilt Binkie.

Meneer De Hond spreekt de stoere biggen streng toe.
'Geef die speen terug of ik bijt jullie billen eraf,' blaft hij.

De stoere biggen zijn erg bang.
Ze geven meteen de speen terug.
Dan horen ze gehuil in de verte. Het is Binkie's broertje.
Hij wil niet meer met Biggetje spelen.

Binkie rent terug, zo snel als hij kan.

Zijn kleine broertje is heel blij met de speen.

Binkie pakt zijn broertje op. Samen maken ze een rondje om het huis.

En dan gaan ze weer naar binnen.

'Dag schat,' zegt Binkie's moeder.
'Heb je lief met je broertje buiten gespeeld?'